Do mo theaghlach annasach is iongantach,
tha mòran gaoil agam oirbh uile. x

A' chiad fhoillseachadh ann am Breatainn an 2020 le Red Shed, pàirt de Farshore
An iris seo air fhoillseachadh do dh'Urras Leabhraichean na h-Alba ann an 2021
le Dean Comharra Foillsichearan Harper Collins
1 London Bridge Street, Lunnainn SE1 9GF
Foillsichearan Harper Collins
1 ùrlar, Togalach Watermarque, Rathad Ringsend, Baile Àtha Cliath 4, Èirinn

Dlighe-sgrìobhaidh teacsa agus dealbhan © Sophy Henn 2020.
Tha Sophy Henn air a còraichean moralta a dhleasadh
Foillsichte san Rìoghachd Aonaichte le Pureprint, companaidh Neo-niGualan® 001
Co-chomhairleachadh le Pòl Lawston

Fuirichibh sàbhailte air-loidhne. Chan eil Farshore a gabhail uallach airson susbaint aig buidhnean eile.

Tha Farshore a' gabhail uallach mòr airson a' phlanaid agus na tha còmhnaidh ann.
Tha sinn ag amas air cleachdadh pàipear bho choilltean air an deagh riaghladh le luchd-solair cùramach.

A' chiad fhoillseachadh sa Ghàidhlig 2021 le Acair,
An Tosgan, Rathad Shìophoirt, Steòrnabhagh, Eilean Leòdhais HS1 2SD

www.acairbooks.com   info@acairbooks.com

An teacsa Ghàidhlig Doileag NicLeòid
An dealbhachadh sa Ghàidhlig Mairead Anna NicLeòid

Tha Acair a' faighinn taic bho Bhòrd na Gàidhlig.

Gheibhear clàr-catalogaidh airson an leabhair seo bho Leabharlann Bhreatainn.

Clò-bhuailte san Rìoghachd Aonaichte.

LAGE/ISBN: 978-1-78907-104-7

GACH SEÒRSA
TEAGHLACH

Sophy Henn

acair

Tha gach seòrsa teaghlach a' tighinn còmhla ann an iomadh seòrsa dòigh.

A h-uile h-aon cho sònraichte . . .

. . . is chan eil iad buileach
an aon seòrsa.
**Sin mar a tha teaghlaichean
aig beathaichean cuideachd.**

Seo teaghlach far a bheil Mamaidh a' gabhail cùraim nam bèibidhean.

Tha mamaidhean orang-utan còmhla ris an fheadhainn bheaga nas fhaide na pàrant beathach sam bith eile, agus tha iad ga dhèanamh leotha fhèin.

Tha gaol mòr, mòr aca air na bèibidhean.

**Anns an teaghlach seo,
's ann air Dadaidh a tha an uallach.**

Tha dadaidhean aig emuthan ag obair glè chruaidh
a' coimhead às dèidh nan uighean, agus tha iad ag àrach
nan iseanan gus a bheil iad dà bhliadhna a dh'aois.

Seo teaghlach le mamaidh
agus dadaidh.

Tha pàrantan èisg nam bun-riofa air leth trang a' cumail an dachaigh bhon uisge glan is sgiobalta airson nan uighean.

Faodaidh 1,000 ugh a bhith aig mamaidhean aig aon àm!

Tha cuid de theaghlaichean mòr is trang is mar sin bidh na bràithrean is peathraichean is motha a' cuideachadh leis an fheadhainn bheaga.

Tha cailleachan beag an earbaill beò ann am buidhnean mòr le suas ri fichead eun agus iad a' coimhead às dèidh càch a chèile. Sa gheamhradh, bidh iad uile a' crùbadh dlùth gus am bi iad blàth.

Tha teaghlaichean eile ann a tha cho anabarrach mòr is gu bheil a h-uile duine a' cuideachadh le bhith a' coimhead às dèidh nam bèibidhean.

Ann an teaghlaichean ailbhein, tha aon ailbhean boireann nas sine os an cionn. Bidh ise a' toirt an eòlas a th' aice don fheadhainn òg san teaghlach, mar sin tha a h-uile duine seasgair, sàbhailte.

Uaireannan 's e seanair is seanmhair a bhios a' coimhead às dèidh an fheadhainn bheaga.

Tha madaidhean-cuain beò airson ùine mhòr, fada gu leòr airson a bhith nan seann-phàrantan. Bidh seanmhairean tric an urra ris an fheadhainn òga fhad 's a tha na màthraichean a' lorg bidhe.

Tha cuid de theaghlaichean ann le dà mhamaidh.

Uaireannan bidh dà albatras bhoireann a' tighinn còmhla agus ag àrach nan iseanan còmhla.

Bidh an dà mhamaidh còmhla gu bràth.

Faodaidh feadhainn bheaga gun teaghlach a bhith air an uchd-mhacachd.

'S e dà dhadaidh a th' anns an teaghlach seo.
Bho àm gu àm, togaidh dà shìota fireann cuilean
gun teaghlach mar gum b' ann leotha fhèin a bha e.

Agus uaireannan tha teaghlach a' ciallachadh caraidean agus coimhearsnachd.

Tha am meerkat beò ann am buidhnean mòr suas ri 50.
Tha dleastanas aig a h-uile duine – a' cruinneachadh bidhe,
a' cumail faire no a' coimhead às dèidh nam bèibidhean. Tha iad
uile ag obair còmhla, gus am bi am buidheann sàbhailte agus biadhte.

Gu deimhinne tha iomadh seòrsa teaghlach ann, ach tha aon rud fìor mu gach aon dhiubh . . .

gaol.

Tha thu air coinneachadh ri na teaghlaichean, tiugainn a-nis is gu faigh sinn tuilleadh fiosrachaidh mu gach beathach.

'S e Laysan an seòrsa **Albatras** a th' anns an leabhar seo. Tha iomadh seòrsa albatras ann, mar an Albatras siubhlach air a bheil na sgiathan as motha san t-saoghal – suas ri 3.5 meatair.

'S e **Sìota** am beathach as luaithe air talamh agus ruithidh iad cho luath ri car air mòr-rathad – 112 cilemeatair san uair! Eu-coltach ri na cait mhòr eile, cha dèan sìota ràn ach bidh iad ri durrghail.

Tha **Èisg nam bun-riofa** beò ann an riofannan coireil anns a' mhuir timcheall Astràilia agus Taobh a Deas Àisia. Tha iad a' cumail nam bun-dùintean glan agus tha na bun-dùintean a' cumail dìon air èisg nam bun-riofa.

'S e **Ailbheanan** am beathach as motha air talamh, agus 's e am fear as motha dhiubh sin an ailbhean-Afragach fireann. 'S ann air na h-ailbheanan-Afragach a tha na cluasan as motha cuideachd. Tha an aon chumadh orra ri mòr-thìr Afraga.

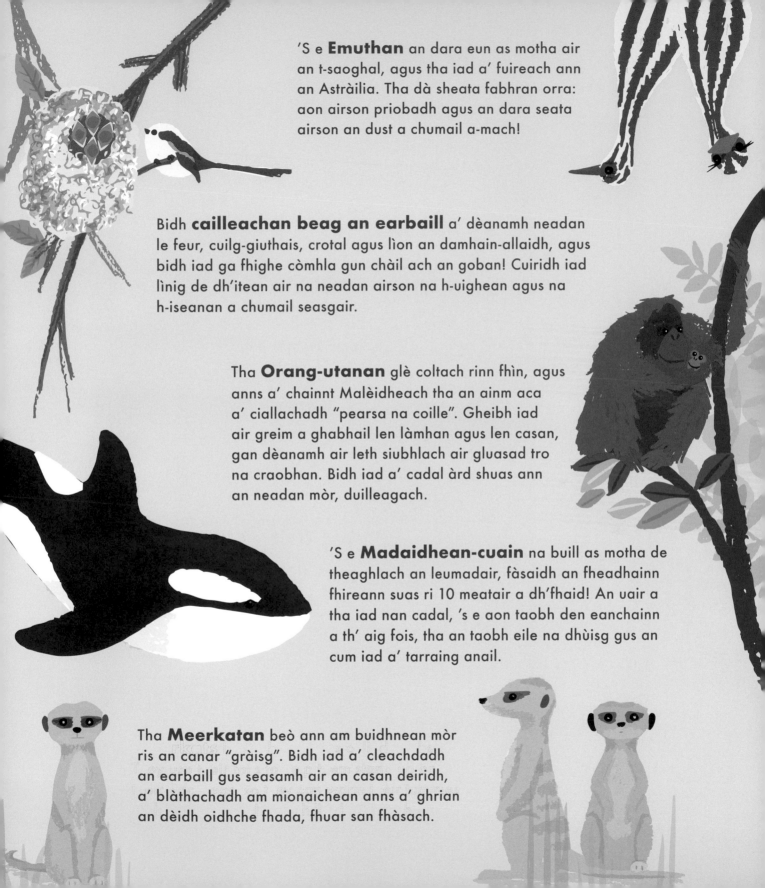

'S e **Emuthan** an dara eun as motha air an t-saoghal, agus tha iad a' fuireach ann an Astràilia. Tha dà sheata fabhran orra: aon airson priobadh agus an dara seata airson an dust a chumail a-mach!

Bidh **cailleachan beag an earbaill** a' dèanamh neadan le feur, cuilg-giuthais, crotal agus lìon an damhain-allaidh, agus bidh iad ga fhighe còmhla gun chàil ach an goban! Cuiridh iad lìnig de dh'itean air na neadan airson na h-uighean agus na h-iseanan a chumail seasgair.

Tha **Orang-utanan** glè coltach rinn fhìn, agus anns a' chainnt Malèidheach tha an ainm aca a' ciallachadh "pearsa na coille". Gheibh iad air greim a ghabhail len làmhan agus len casan, gan dèanamh air leth siubhlach air gluasad tro na craobhan. Bidh iad a' cadal àrd shuas ann an neadan mòr, duilleagach.

'S e **Madaidhean-cuain** na buill as motha de theaghlach an leumadair, fàsaidh an fheadhainn fhireann suas ri 10 meatair a dh'fhaid! An uair a tha iad nan cadal, 's e aon taobh den eanchainn a th' aig fois, tha an taobh eile na dhùisg gus an cum iad a' tarraing anail.

Tha **Meerkatan** beò ann am buidhnean mòr ris an canar "gràisg". Bidh iad a' cleachdadh an earbaill gus seasamh air an casan deiridh, a' blàthachadh am mionaichean anns a' ghrian an dèidh oidhche fhada, fhuar san fhàsach.